D0536483

Les étals sont si nombreux
qu'il est difficile de choisir.

Au soleil, ces belles pêches dégagent un parfum ***fruité***.

Les acheteurs font la queue
chez le boulanger.
Les enfants attendent
sagement. Zaza aussi !

Voici Papa.
L'odeur de pain ***frais*** et
encore ***chaud*** donne faim.
Qu'y a-t-il dans le sac
en papier ?

Si nous achetions des fleurs pour Maman ?
Elles sont si belles !

Chantal choisit des roses et des oeillets.
Elle aime ces fleurs si ***parfumées***.

Voyons maintenant
ce qu'il y a dans le sac . .
. et mangeons
proprement !

Où est Zaza ?

Oh ! Il faudrait changer Marc !

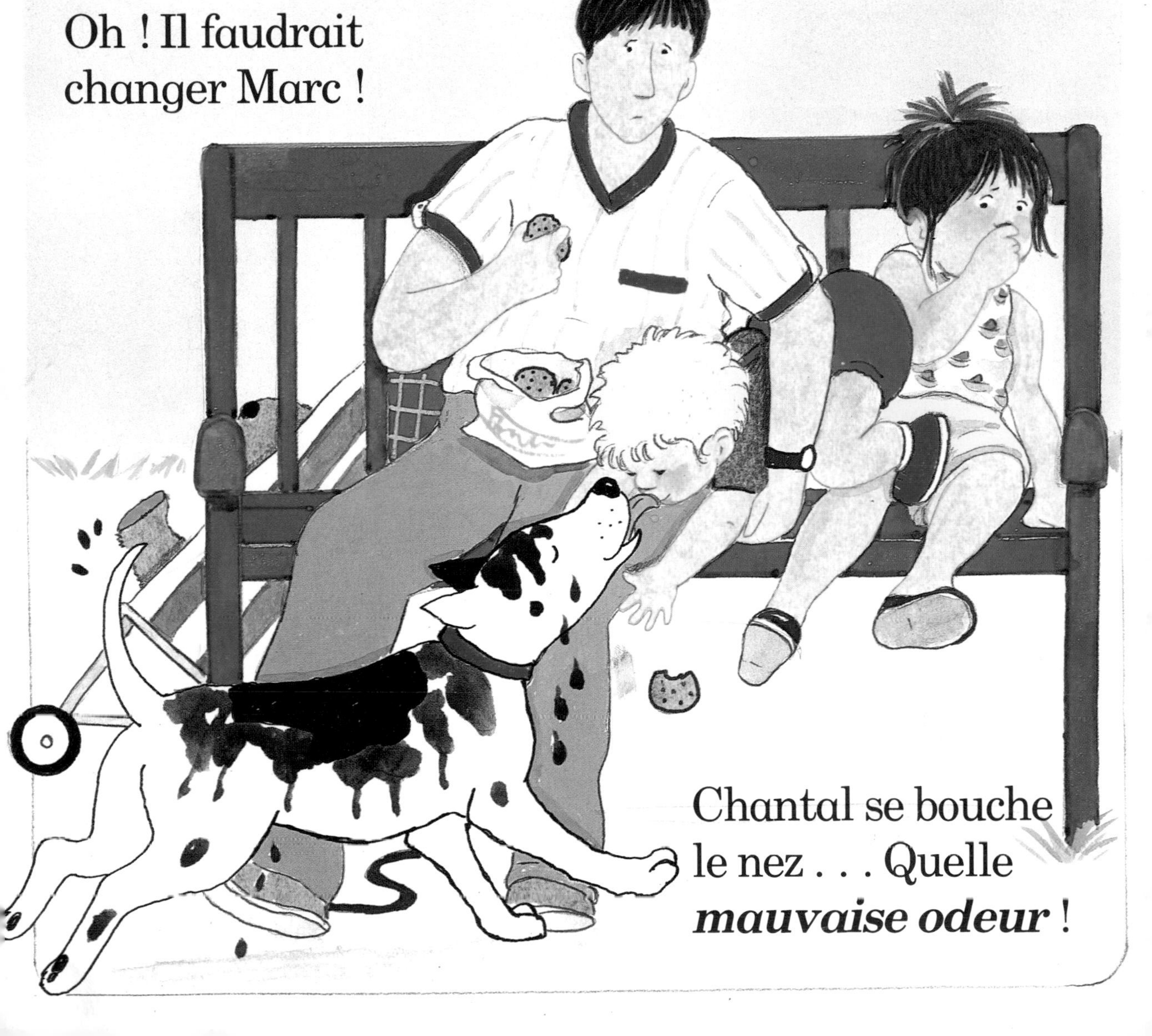

Chantal se bouche le nez . . . Quelle ***mauvaise odeur*** !

Après cette halte,
en route pour la maison !

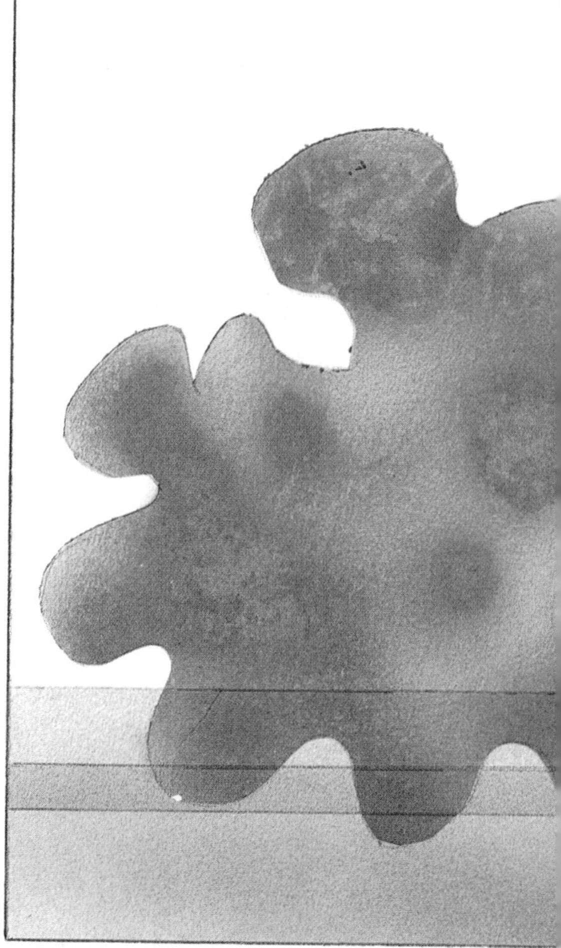

La rue est très animée.

Il faut attendre avant de pouvoir traverser. Pauvre Marc ! L'odeur d'***essence*** et des ***gaz d'échappement*** lui met les larmes aux yeux.

Enfin de retour !
Les fleurs feront plaisir
à Maman.
Mais où est-elle ?

Zaza l'a trouvée . . .

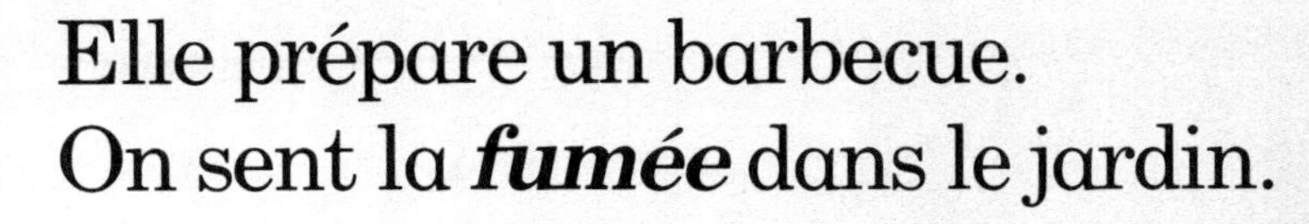

Elle prépare un barbecue.
On sent la ***fumée*** dans le jardin.

Marc a besoin
d'être débarbouillé
avant le déjeuner.

Chantal aussi.

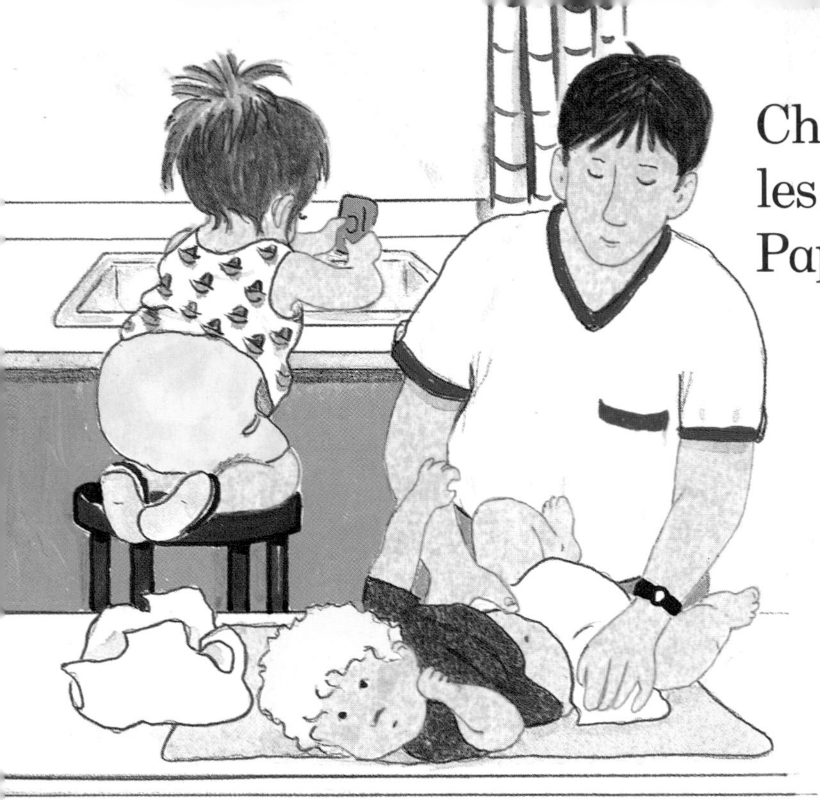

Chantal se lave
les mains pendant que
Papa change Marc.

Quelle bonne odeur
de ***savon*** et de ***propreté*** !

Le repas sera bientôt prêt.
La grillade embaume l'air.

As-tu faim, Marc ?

Marc est trop fatigué pour manger.
Il s'enroule dans sa couverture
et renifle son odeur ***familière*** et ***réconfortante***.

- 1946 -

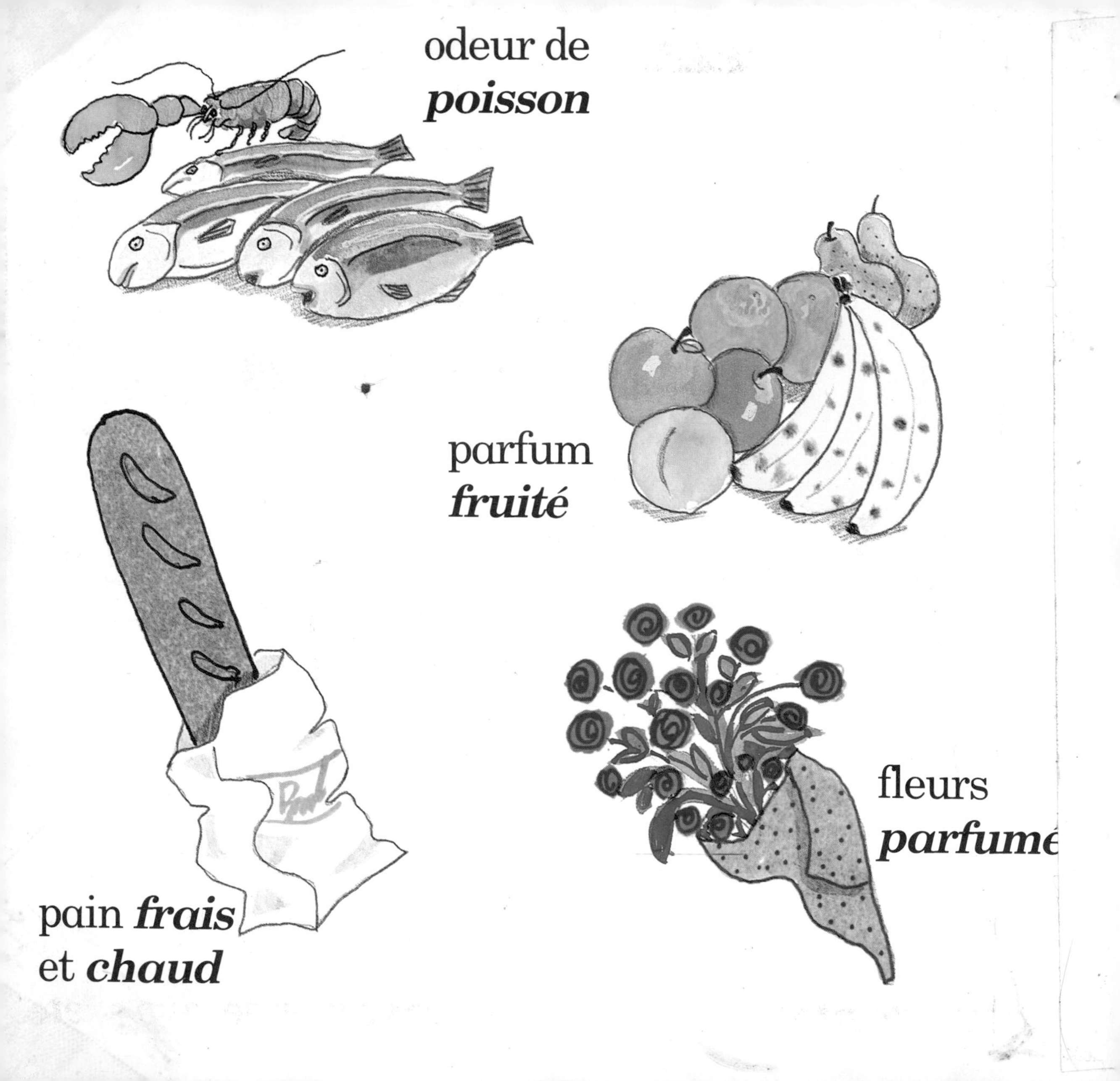
odeur de ***poisson***
parfum ***fruité***
pain ***frais*** et ***chaud***
fleurs ***parfumé***